日本一短い手紙「こころ」

令和三年度の第二十九回 一筆啓上賞「日本一短い手紙『こころ』」（福井県坂井市・公益財団法人丸岡文化財団主催、株式会社中央経済社ホールディングス・一般社団法人坂井青年会議所共催、日本郵便株式会社協賛、福井県・福井県教育委員会・愛媛県西予市、住友グループ広報委員会特別後援）の入賞作品を中心にまとめたものである。

同賞には、令和三年四月八日～十月二十一日の期間内に四万六九一二通の応募があった。令和四年一月二十七日に最終選考が行われ、大賞五篇、秀作一〇篇、住友賞二〇篇、坂井青年会議所賞五篇、佳作一二六篇が選ばれた。同賞の選考委員は、小室等、佐々木幹郎、夏井いつき、宮下奈都、平野竜一郎の諸氏である。

本書に掲載した年齢・職業・都道府県名は応募時のものである。

目次

入賞作品

大賞

［日本郵便株式会社　社長賞］

僕のこころへ

怒・悲・思・恵・怠・
惑・恩・志・想・恋・・・
いろんな「こころ」が増《ふ》えていく。

守法　賢吾
和歌山県　11歳　小学校5年

一輪堂上

「僕のこころ」へ

怒・悲・思・恵・
怠・惑・恩・志・
想・恋・・・・いろ
んな「こころ」が
増えていく。

お父さんへ

ぼくのこころ見《み》えるかな。
ふくといっしょで、
時《とき》どきはんたいなんだ。

赤堀 颯
静岡県 8歳 小学校3年

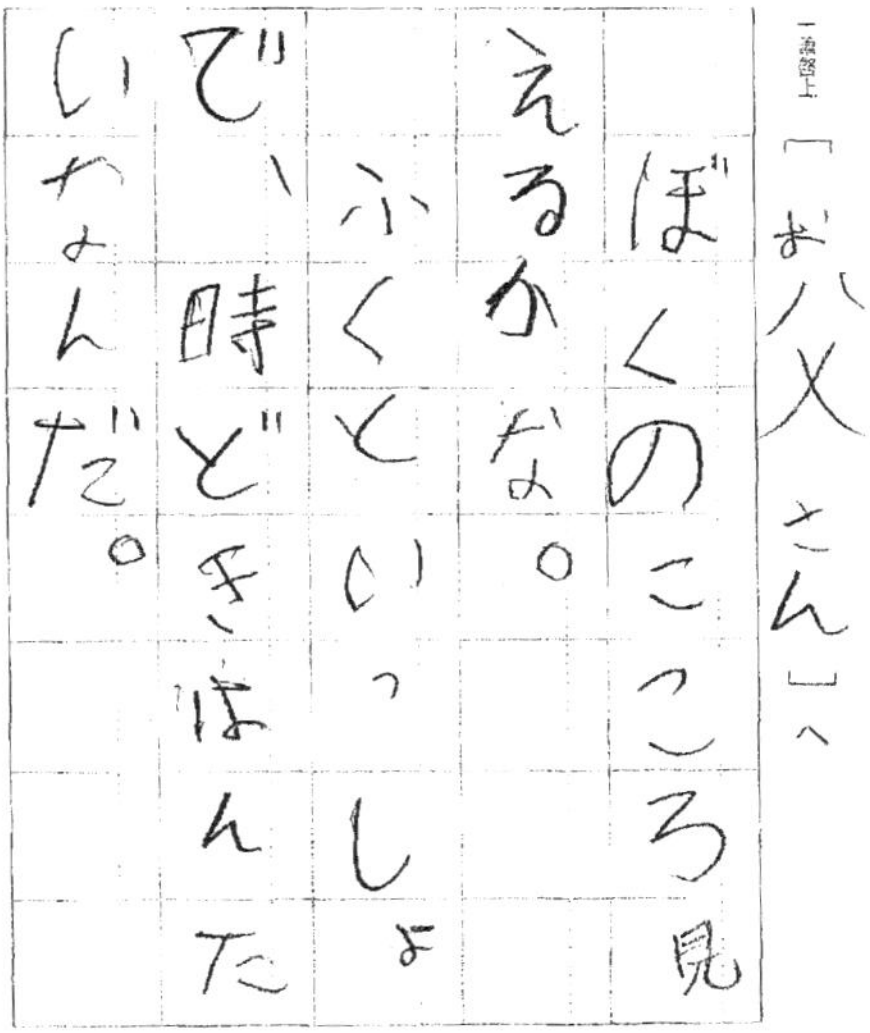

「お父さん」へ
ぼくのこころ見
えるかな。
ふくといっしょ
で、時どきはんた
いなんだ。

お母さんへ

心《こころ》ってどこにあるのかな？
この前《まえ》、弟《おとうと》に聞《き》いたら、
「弁当箱《べんとうばこ》の中《なか》じゃね？」って言《い》ってた

川辺　史桜浬
千葉県　15歳　中学校3年

一筆啓上「お母さん」へ

心って、どこにあるのかな？この前、弟に聞いたら、「弁当箱の中じゃね？」って言ってた

乳がんで無くした右胸へ

君《きみ》がいなくなった跡地《あとち》には、
ちょっぴり強《つよ》くなった
心《こころ》が住《す》んでいます。

杉山　友里恵
大阪府　35歳　派遣社員

「乳がんで無くした右胸へ」

君がいなくなった跡地には、

ちょっぴり強くなった心が住んでいます。

いっぴつけいじょうのしゅくだいへ

こころかぁ。
むずかしすぎてなんもかけん。
2ねんせいになったらかけるかな。

古市　旺大朗
福井県　6歳　小学校1年

一筆啓上

「いっぴつけいじょうのしょくだい」へ

こころがぁ。むずかしすぎてなんもがけん。2ねん生いになったらがけるかな。

大賞選評

選考委員　佐々木　幹郎

今回は「こころ」がテーマだが、大賞に残った五篇は、結果的に小学生や中学生が多くなっています。これは年齢を考えて選んだというわけではありません。「こころ」という非常に抽象的なテーマを与えられたとき、応募作品の多くの文章がワンパターンになってしまっていて、なかなか自由奔放に「こころ」という言葉を使うことができなくなっていた。ところが最終的に残った作品を読んでいただければわかるように、どれもが「こころ」というものの隙をつくような作品です。いかに自由にこの言葉を捉えることができるか、そこが基準になったということです。

古市旺大朗君の作品は、宛先が「いっぴつけいじょうしょうのしゅくだいへ」となっていて、素直に何の衒いもなく「こころ」について書かれています。「こころ」は深くもあり浅くもあり狭くもあり広くもあり「こころ」があるのか無いのかさえわからない。どこへ転んでも、すべて「こころ」であるというふうに幅広い問題を持っているので、「むずかしすぎてなんもかけん」というのが本音。小学一年生の旺大朗君が「2ねんせいになったらかけるかな」という、とても素直な作品。その希望がいいな。隙をつかれたという思いです。いや、ほんとうは七〇歳を超えても、わたしたちはうまく書けないのだけれど。

守法賢吾君の作品は、「心」という漢字が含まれた語を並べています。小学五年生なので、もともと知っていたのではなく、たぶん漢和辞典で調べたのでしょうが、調べれば調べるほど「こころ」の領域が広がっていくという思いを伝えています。この「思」という漢字のなかにも「心」があります。「心」という漢字は、人間の心臓のカタチを模して作られています。中国でも「心」の付く漢字は時代を経るにしたがって増えていったという歴史を持っていますから、守法君の作品は思いがけず、その歴史を踏まえてしまっているということが面白く、驚きでもありました。

赤堀颯君の作品は、「こころ」は見えないものだけれど、ほんとうは見えているかも知れないという思いを伝えています。ときどき自分の心と反対のことをやってしまうのは、服を表裏反対に着てしまうことと一緒。この指摘には意表を突かれました。

川辺史桜浬さんの作品は、宛先が「お母さんへ」。弁当箱のなかにお母さんの心がある、と弟が言ったという。「弁当箱の中じゃね?」の「じゃね?」が軽くていい。必ずしも毎日のお弁当が母親の心のこもったものでなくても、作るという行為そのものに母親の心がある、という発想。そのかろやかなさばきかたが良かった。

杉山友里恵さんの作品は、宛先が「乳がんで無くした右胸へ」。この宛先が鮮烈で、眼を奪われました。無くなった乳房の跡には、「ちょっぴり強くなった心が住んでいます」という捉え方は、感動的です。わたしたちを勇気づけてもくれます。まいった、という思いがしました。顕賞式でお会いしたいですね。

大賞五篇はこのように、わたしたち選考委員のおもわくの隙間をつくような、素直な作品ばかりが集まったと思っています。

(入賞者発表会講評より要約)

秀作

〔日本郵便株式会社　北陸支社長賞〕

祖父へ

心《こころ》とは、胸《むね》などではなく手《て》にあると、
病室《びょうしつ》の無口《むくち》なあなたの手《て》を握《にぎ》った時《とき》に
思《おも》いました。

高島　陽子
東京都　26歳　公務員

一筆啓上

「祖父」へ

心とは、胸などではなく手にあると、病室の無口なあなたの手を握った時に思いました。

ママへ

血《ち》の繋《つな》がりがないと
知《し》った日《ひ》は泣《な》いたけど
心《こころ》の繋《つな》がりは何《なに》も変《か》わらないや。
ママが好《す》き。

駒村 美幸
東京都 25歳 主婦

一筆啓上

「ママ」へ

血の繋がりがないと知った日は泣いたけど心の繋がりは何も変わらないや。ママが好き。

お母さんへ

私《わたし》がガラスの心《こころ》って言《い》うと

「防弾《ぼうだん》ガラス?」って言《い》うの

やめてください。

上田 琉楓

石川県 18歳 高校3年

一筆啓上 「お母さん」へ

私がガラスの心って言うと「防弾ガラス？」って言うのやめてください。

いつも、さりげなく声をかけてくれるあなたへ

盲目《もうもく》の私《わたし》が、
耳《みみ》そば立《だ》て、待《ま》つバスの、
「これ六番《ろくばん》」と、
背中《せなか》で響《ひび》く、天使《てんし》の声《こえ》。

宇都宮 道春
福岡県 69歳

一筆啓上

「いつも、さりげなく声をかけてくれるあなた」へ

盲目の私が、耳そば立て、待つバスの、「これ六番」と、背中で響く、天使の声。

九歳の娘へ

何《なに》さ、じっと見《み》て。
心《こころ》読《よ》まれると思《おも》って構《かま》えたわ。
七十七《ななじゅうなな》個《こ》シミ発見《はっけん》！って、
やめてよ!!

田中　昌代
北海道　44歳　会社員

一筆啓上

「九歳の娘へ」へ

何さ、じっと見て。心読まれると思って構えたわ。七十七個シミ発見！って、やめてよ!!

とうちゃんへ

しってるよ。
ぼくはこころが見《み》えるもん。
とうちゃんも、
レゴランドにいきたいって。

南本　一志
福井県　7歳　小学校2年

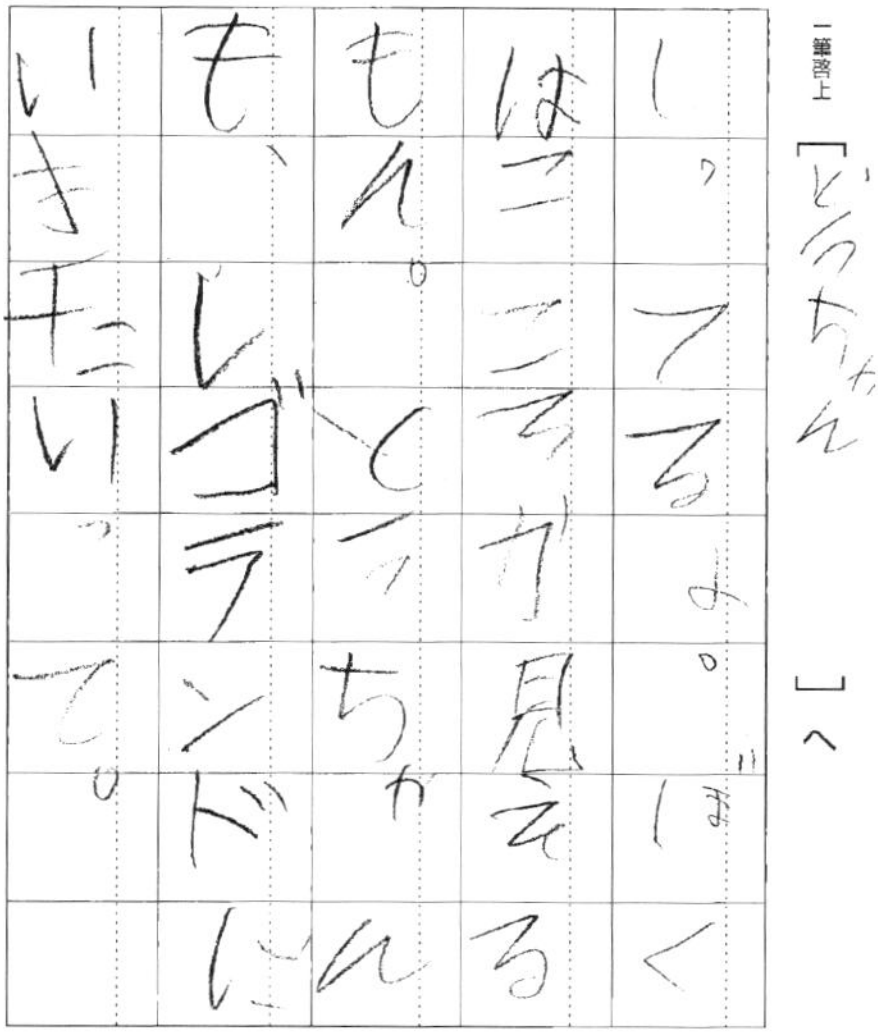
一筆啓上　〔どうちゃん〕へ

しってるよ。ぼくはこころが見えるもん。とっちゃんも、レゴランドにいきたいって。

我が子らへ

心《こころ》から
「元気《げんき》に生《う》まれて来《き》てくれただけで良《よ》い」
と思《おも》ったが、近頃《ちかごろ》少《すこ》し欲《よく》が出《で》てきた

安永 正道
千葉県 72歳

一筆啓上

「我が子ら、」へ

心から「元気に生まれて来てくれただけで良い」と思ったが、近頃少し欲が出てきた

心を病む子を持つ親の会仲間Iさんへ

「西端《にしばた》さんって心美人《こころびじん》やわぁ！」って
心《こころ》をつけないと
不都合《ふつごう》な事《こと》でもあるんでしょうか？

西端　千鶴子
大阪府　71歳　パート

一筆啓上

「心を病む子を持つ親の会仲間工さん」へ

「西端《にしばた》さんって心美人やわあ！」って心をつけないと不都合な事でもあるんでしょうか？

先生をしている息子へ

人《ひと》のこころを
あんまりほじくったらあかんで。
ほじくったら最後《さいご》まで
面倒《めんどう》みんなあかん。

奥村 美智子
福井県 77歳

一筆啓上

「先生をしている息子」へ

人のこころをあんまりほじくったらあかんで。ほじくったら最後まで面倒みんなあかん。

ダウン症のある三男のクラスメイトたちへ

ことばは通《つう》じなくても、
こころは通《つう》じることを、
大人《おとな》たちに見《み》せてくれて、
ありがとう。

廣岡　睦美
熊本県　53歳　自営業

一筆啓上

「ダウン症のある三男のクラスメイトたち」へ

ことばは通《つう》じなくても、こころは通《つう》じることを、大人《おとな》たちに見《み》せてくれて、ありがとう。

秀作選評

選考委員　宮下　奈都

今年も秀作は粒ぞろいだと感じています。

髙鳥陽子さんの「祖父」は、選考委員全員が高い評価を付けた作品でした。病室にお見舞いに行って、祖父の手を握る。そのときに心って手にあるんだと実感としてわかる。それは切実で、大きな発見だと思いました。胸を突かれるような思いがしました。

駒村美幸さんの作品は、「何も変わらないや。」の語尾に惹かれました。人生が変わるような告白を受けて一度は悩むのだけれども、もう吹っ切った潔さが、この「や」に表れていてすごくよかったです。この後に「ママが好き。」と畳みかけてくるまっすぐさも素敵です。

上田琉楓さんの作品は、思わず笑ってしまう作品でした。思春期をちょっと俯瞰して、ユーモアで応酬する、仲のいい親子。実際にこういう会話があったのではないかと選考会でも話題になりました。日常の一コマが目に見えるようで、好感度が高かったです。

宇都宮道春さんの作品は、しんと静かに心に染み入る作品です。バス停で耳をそば立てている作者に、そっと寄り添う誰か。ほんの一言だけの、会話か、もしかしたらもっと短いやりとりかもしれませんが、それがこんなに心に響いてくるのは、この美しい心の情景が浮かび上がってくるからです。

田中昌代さんの作品は、全体的には笑わせる構成なのですが、実は、心を読まれると思って構えたという、その一瞬の緊張感がとてもよかったと思います。家族にも読まれたくない心の奥がある、というあたりまえのことをハッと思い出させてくれました。

（入賞者発表会講評より要約）

秀作選評

選考委員　夏井　いつき

秀作は色々なタイプがありとても楽しませていただきました。

南本一志さんの作品ですが、「心がみえません。」という作品はたくさんありましたが、いきなり二年生の子が「しってるよ。ぼくはこころが見えるもん。」と言い切っています。そこからとても素敵な家族関係が見えてくる、愛すべき作品です。

安永正道さんの作品ですが、元気に生まれて来てくれただけで良いというのは、万人の親の願いをそのまま書いているだけですが、でも、70歳をすぎて近頃欲が出てきたというんです。しかも複数の「我が子ら」に出てきた欲とは一体何なんだろうと。その欲をお尋ねしてみたい作品でした。

西端千鶴子さんの作品ですが、「心を病む子を持つ親の会仲間Iさんへ」というあて名がこの作品ではとても重要です。普通に読めばただのユーモアで終わる作品ですが、あて名の持っている情報というのがすごく大事なんだと思わせる作品でした。

奥村美智子さんの作品ですが、私が選考委員の皆さんの前で力説をした作品でした。一見マイナスのような書き方にも見えますが、でもこの作品は、先生をしている息子さんが誠実な先生で、子どもや生徒達のこころの面倒をよくみている現場が伝わってくる作品です。

廣岡睦美さんの作品ですが、「ダウン症のある三男のクラスメイトたちへ」のこのあて名書きもものすごく大事です。この作品は小室さんが推して皆が同意して秀作になった作品です。生徒達が親たちにちゃんと通じているところを見せている。それがみんなの体験である。私はそういうことだと思います。世間の皆さんと共有される作品です。

（入賞者発表会講評より要約）

住友賞

亡き夫へ

未亡人二年生《みぼうじんにねんせい》。
あなたの残《のこ》したウイスキー。
苦《にが》さが、こころにささります。

大塚　千代子
東京都　73歳　無職

「亡き夫へ」へ

未亡人二年生。
あなたの残した
ウイスキー。
苦さが、こころに
ささります。

おかあさんへ

こころってむねのとこ。
おふろであらってくれてありがとう。
ぼくきれいかな。

岸本　一穂
福井県　6歳　小学校1年

一筆啓上 「おかあさん」へ

こころってむねのとこ。おふろであらってくれてありがとう。ぼくきれいかな。

片思いの君へ

あ、今《いま》また『好《す》き』が積《つ》もった。
こころから溢《あふ》れたら、
伝《つた》えに行《い》ってもいいかな。

山村　紗生
大阪府　20歳　アルバイト

一筆啓上「片思いの君」へ

あ、今また『好き』が積もった。こころからこころから溢れたら、伝えに行ってもいいかな。

妹へ

お父《とう》さんが頑張《がんば》って作《つく》った料理《りょうり》に
正直《しょうじき》な感想《かんそう》を言《い》うのはおやめ。
こころにしまいなさい。

瀬戸口 波美
兵庫県 13歳 中学校1年

一筆啓上「妹」へ

お父さんが頑張って作った料理に正直な感想を言うのはおやめ。こころにしまいなさい。

お母さんへ

「おはよう」からのハグで、
ぼくの心《こころ》は満《まん》たんだ。
よし、今日《きょう》も充電《じゅうでん》完了《かんりょう》。

為永　暁仁
福井県　11歳　小学校6年

一筆啓上 「お母さん」へ

「おはよう」からのハグで、ぼくの心は満たんだ。よし、今日も充電完了。

鏡の向こう側の私へ

こちらは、絶賛思春期中《ぜっさんししゅんきちゅう》の私《わたし》です。
もし鏡《かがみ》で反転《はんてん》させたのなら、
素直《すなお》な私《わたし》になれますか。

坂井 絢
東京都 15歳 中学校3年

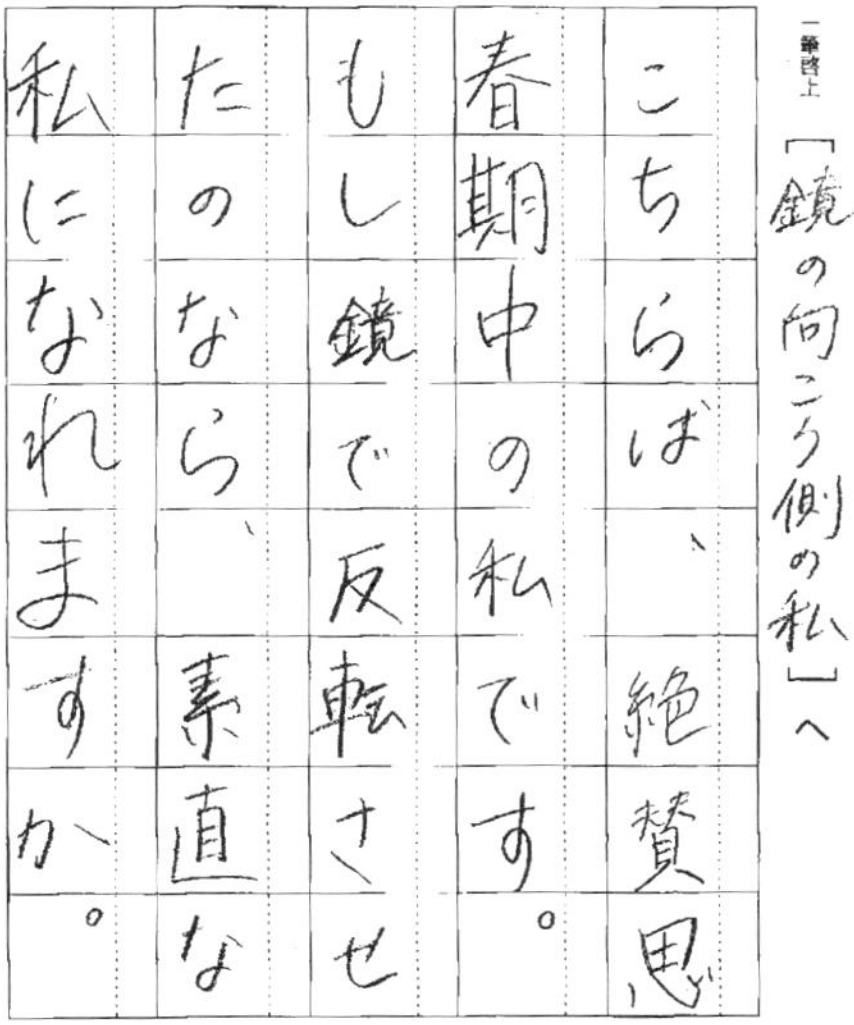

一筆啓上　「鏡の向こう側の私」へ

こちらは、絶賛思春期中の私です。もし鏡で反転させたのなら、素直な私になれますか。

夫へ

あなたより心惹《こころひ》かれる人《ひと》ができました。
ごめんね。
あなたにそっくりの可愛《かわい》い娘《むすめ》です。

國松　香純
福井県　31歳　公務員

一筆啓上「夫」へ

あなたより心惹かれる人ができました。ごめんね。あなたにそっくりの可愛い娘です。

ばあちゃんへ
喉《のど》のガンで話《はな》せなくなった
じいちゃんの心《こころ》の中《なか》、
即《そく》解《かい》読《どく》できるのまじですごいと思《おも》うよ。

岩本　結愛
福井県　15歳　高校1年

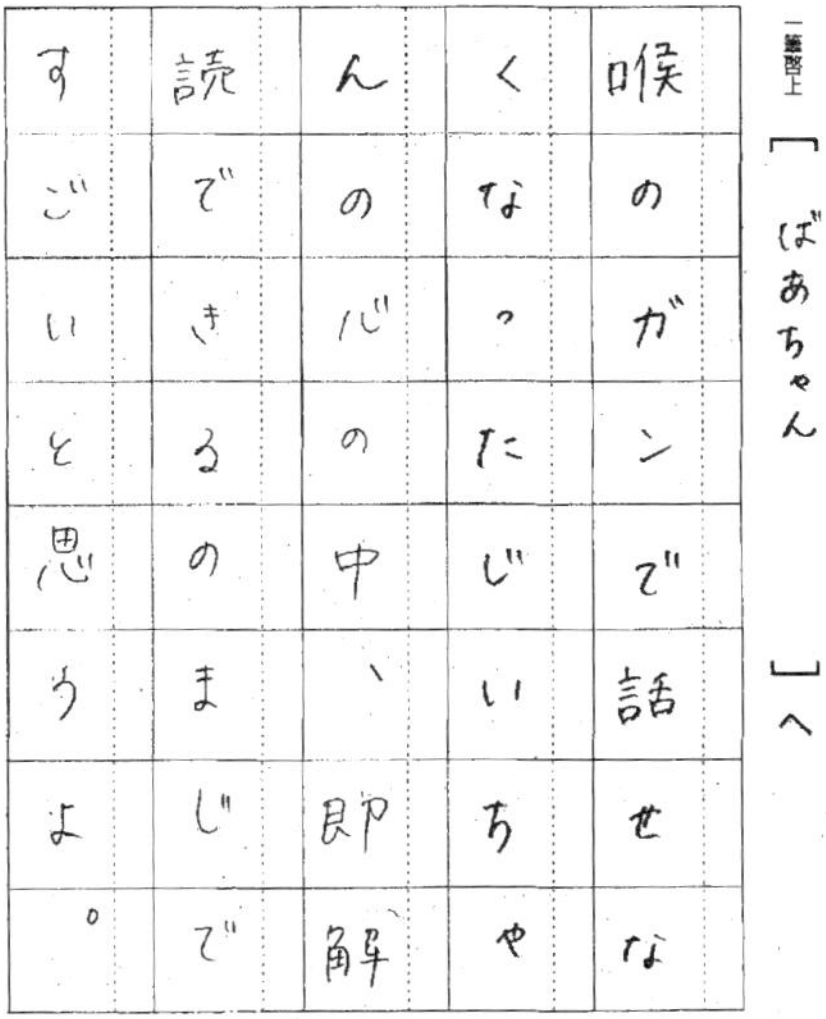
一筆啓上「ばあちゃん」へ

喉のガンで話せなくなったじいちゃんの心の中、即解読できるのまじですごいと思うよ。

心遣いを節約している君へ

心遣《こころづか》いは使《つか》えば使《つか》うほど、
こころ豊《ゆた》かになるものよ。
ケチケチしなさんな!!

松尾　惠美子
宮崎県　72歳　事務職員

一筆啓上

「心遣いを節約している君《キミ》」へ

心遣いは使えば使うほど、こころ豊かになるものよ。

ケチケチしなさんな!!

孫へ

じいじと喧嘩《けんか》して
こころが読《よ》めないと言《い》ったら
老眼鏡《ろうがんきょう》を持《も》ってきてくれた孫《まご》
ありがとうね

牧田 美和子
静岡県 82歳 主婦

一筆啓上「孫」へ

じいじと喧嘩して
こころが読めない
と言ったら老眼鏡
を持ってきてくれ
た孫ありがとうね

自分へ

「こころが弱《よわ》い」って言《い》われるけど、
これも含《ふく》めて僕《ぼく》なんだ。

笠井　嘉晃
山梨県　13歳　中学校1年

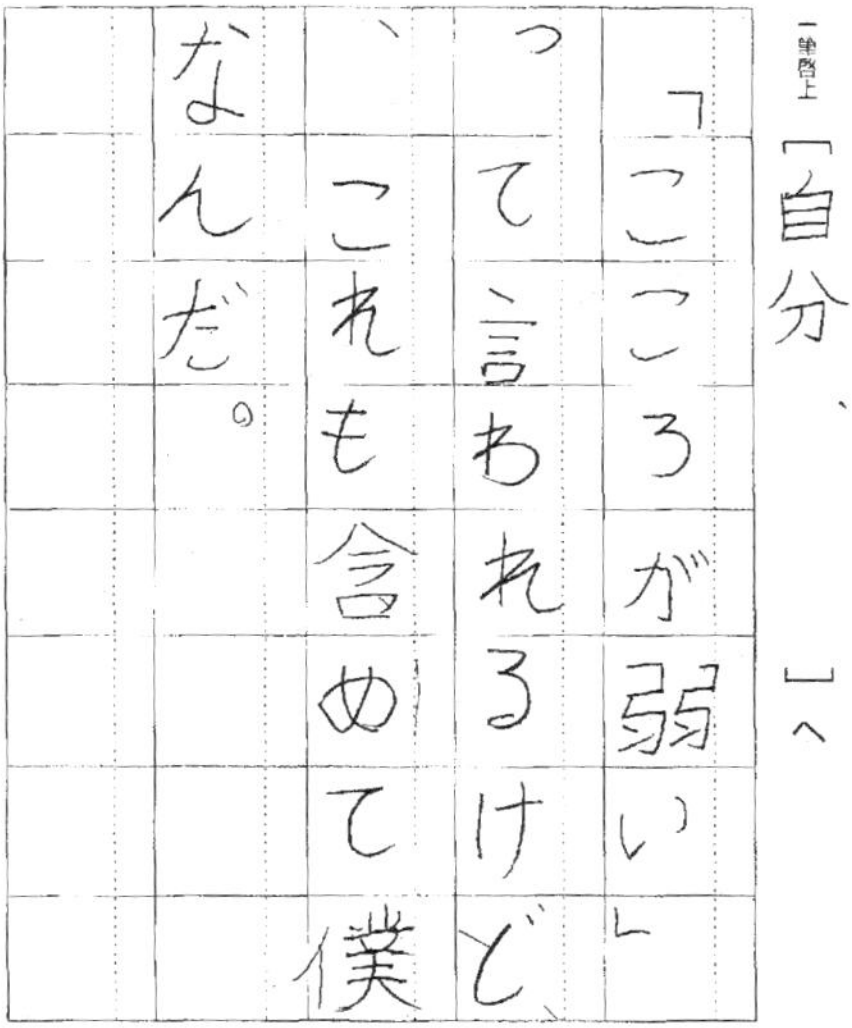
一筆啓上
「自分」へ

「こころが弱い」
って言われるけど、
、これも含めて僕
なんだ。

初恋のK君へ

重《おも》かったですか。
あなたに贈《おく》った手編《てあ》みのベスト、
あなたのおばあさんが着《き》てましたね。

福永 房世
鹿児島県 58歳 主婦

一筆啓上

「初恋のK君」へ

重かったですか。あなたに贈った手編みのベスト、あなたのおばあさんが着てましたね。

お母さんへ

この手紙《てがみ》を書《か》いていたら
心《こころ》とは何《なに》か分《わ》からなくなりました。
今日《きょう》の夜《よる》ご飯《はん》は何《なん》ですか。

岩花 奏
岩手県 14歳 中学校2年

一筆啓上 「お母さん」へ

この手紙を書いていたら心とは何か分からなくなりました。今日の夜ご飯は何ですか。

救ってくれた弘子さんへ

心《こころ》は見《み》えないけれど、
心遣《こころづか》いは見《み》えました。
あの朝《あさ》です、弘子《ひろこ》さん。

櫻田　陽子
神奈川県　65歳　無職

一筆啓上

「救ってくれた弘子さん」へ

心は見えないけれど、心遣いは見えました。

あの朝です、弘子さん。

おねえちゃんへ

いつも「まねしないで。」っていうけれど、
わたしだっておねえちゃんになりたいよ。

松本　芽華
埼玉県　6歳　小学校1年

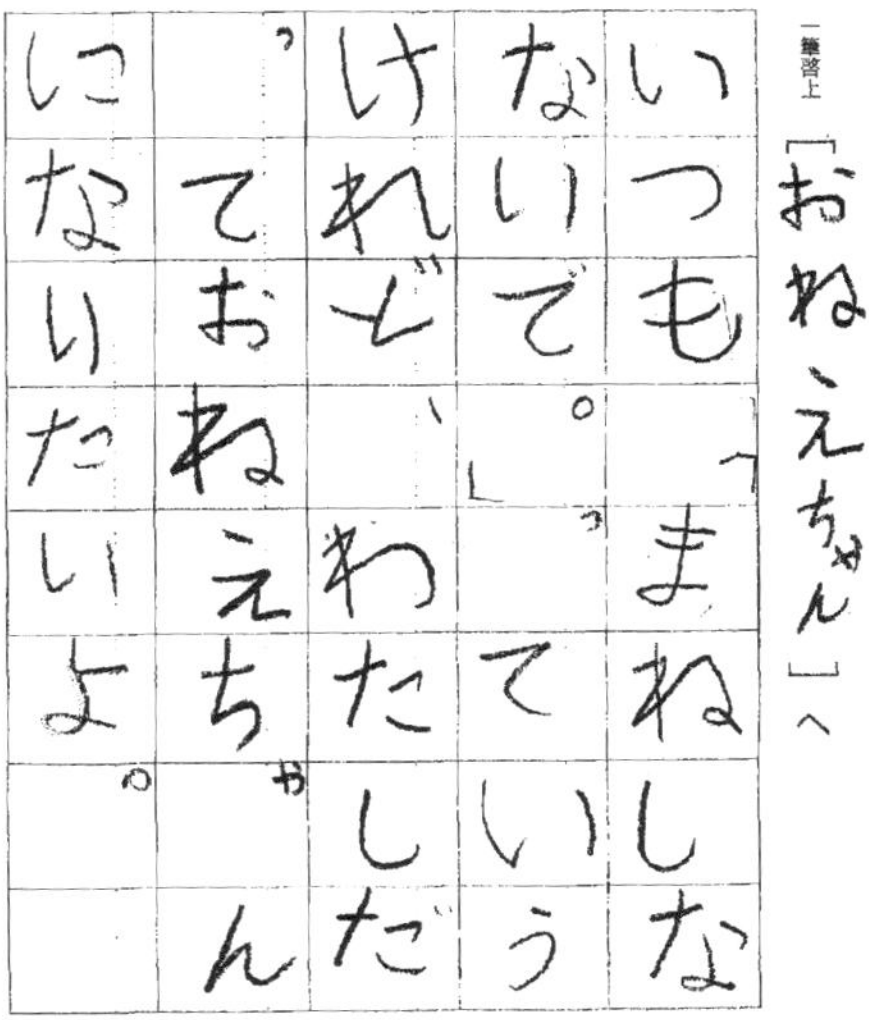
一筆啓上「おねえちゃん」へ

いつも「まねしないで。」っていうけれど、わたしだっておねえちゃんになりたいよ。

私の心へ

「何《なに》が悪《わる》いのか自分《じぶん》の心《こころ》に聞《き》きなさい。」

と母《はは》に言《い》われました。

そろそろ話《はな》して下《くだ》さい。

峯 優月
和歌山県 14歳 中学校2年

一筆啓上

「私の心」へ

「何が悪いのか自分の心に聞きなさい」。と母に言われました。そろそろ話して下さい。

G先生へ

お前《まえ》は心《こころ》まで腐《くさ》ってる！
と先生《せんせい》に言《い》われたあの日《ひ》から四十年《よんじゅうねん》。
私《わたし》は発酵《はっこう》してますよ。

松田　由佳
埼玉県　53歳　主婦

一筆啓上「G先生」へ

お前は心まで腐ってる！と先生に言われたあの日から四十年。私は発酵してますよ。

おかあさんへ

心《こころ》がこもったおべん当《とう》なのに
一《いち》ばんおいしかったおかずを、
ふりかけと答《こた》えてごめんね。

中村　樹
佐賀県　8歳　小学校2年

一筆啓上　「おかあさん」へ

心がこもったおべん当なのに一ばんおいしかったおかずを、ふりかけと答えてごめんね。

近所の小学生へ

今朝《けさ》挨拶《あいさつ》してくれたのに
「う、うす。」しか言《い》えなかった僕《ぼく》。
でも心《こころ》の扉《とびら》に光《ひかり》が差《さ》したよ

松谷　光歩
福島県　16歳　高校2年

一筆啓上

「近所の小学生」へ

今朝挨拶してくれたのに「う、うす。」しか言えなかった僕。でも心の扉に光が差したよ

誘惑に負けそうな自分へ

心《こころ》の中《なか》を覗《のぞ》いたら
悪魔《あくま》がこっちを見《み》てたんで
睨《にら》み返《かえ》しといたで。

柿本　清美
和歌山県　49歳　会社員

一筆啓上

「誘惑に負けそうな自分へ」

心《こころ》の中《なか》を覗《のぞ》いたら悪魔《あくま》がこっちを見《み》てたんで睨《にら》み返《かえ》しといたで。

住友賞選評

選考委員　平野　竜一郎

6歳の小学生から82歳の方まで幅広い年齢層より応募いただいた。どの作品もシンプルかつストレートに日常の話を切り取っている。

大塚さんの作品、旦那さんを失った悲しみをウィスキーの味で表現されるところに大人の粋を感じた。

岸本さんの作品、きれいなこころを持ったお子さんなのだろうと審査員のこころも洗われた。

山村さんの作品、ロマンチズムを感じた。特に佐々木選考委員が心打たれて強く推薦され、満場一致で住友賞に決定した。

瀬戸口さんの作品、お父さん、大人びたお姉さん、そして素直な妹さんの仲の良い家族の様子が伝わってきた。

爲永さんの作品、幸せなお母さんとお子さんの情景が浮かび、こちらもほっこりした。

坂井さんの作品、絶賛思春期中という言葉が印象的だった。

國松さんの作品、娘さんだけでなくご主人への変わらぬ愛情がよく伝わる一遍。

岩本さんの作品、長年寄り添ったじいちゃんとばあちゃんだからこその以心伝心が素晴らしいと感じた。

松尾さんの作品、72歳の大先輩の言葉が、若い人ばかりでなく、私のような壮年の心にも響いた。

牧田さんの作品、お孫さんを愛するおばあちゃんと、心の優しいお孫さんとの温かい関係がよく伝わってきた。

笠井さんの作品、日頃、私も自分の子供に「がんばれ」、「強くなれ」と言ってしまうが、弱いところも受け止めつつ、他の良いところに目を向けることが大切だと改めて感じた。

福永さんの作品、思いを込めて編んだベストは残念だったものの、今では懐かしい思い出として語れる幸せを手にされているのだろうと感じた。

岩花さんの作品、全く主旨と関係ない終わり方が子供らしく素直で思わず笑ってしまった。

櫻田さんの作品、選考委員みんなで状況を推察したが、最後まで解読しきれなかった。それでも非常に重要な朝だったことは間違いないと伝わる一遍だった。

松本さんの作品、6歳の女の子の切実な本音、大人びたい心情がよく伝わった。

峯さんの作品、母に叱られつつ、その責任をこころの他責にしている14歳の女の子のしたたかさが面白い。

松田さんの作品、40年前に先生に怒られたのがよほど悔しかったのか、いまだ反省しないしぶとさは大したもの。気心の知れた師弟関係があればこそと微笑ましい。

中村さんの作品、個人的には何のふりかけだったのか聞いてみたい。子供らしく正直に言った言葉にお母さんがどんな反応を示したのかも気がかり。

松谷さんの作品、素直になれない思春期の高校生が、小学生の元気な挨拶に戸惑いつつ感謝で受け止める、心の中の素直さ、に共感した。

柿本さんの作品、自分の弱さをこころの中の悪魔との戦いにたとえるセンスがおもしろい。


（入賞者発表会講評より要約）

坂井青年会議所賞

お母さんへ

お母《かあ》さんの心《こころ》は見《み》なくても分《わ》かるよ。
僕《ぼく》と弟《おとうと》で一杯《いっぱい》でしょ。
僕《ぼく》もお母《かあ》さんで一杯《いっぱい》だよ。

高塚　結多
福井県　9歳　小学校4年

一筆啓上

「お母さん」へ

お母さんの心は見なくても分かるよ。僕と弟で一杯でしょ。僕もお母さんで一杯だよ。

とうちゃんへ

とうちゃんが漁《りょう》に出《で》る時《とき》、
わたしの心《こころ》は不安《ふあん》です。
え顔《がお》で帰《かえ》ってきてくれると安心《あんしん》です。

五島　葵
福井県　9歳　小学校4年

一筆啓上「とうちゃん」へ

とうちゃんが漁《りょう》に出《で》る時《とき》、わたしの心《こころ》は不《ふ》安《あん》です。え顔《がお》で帰《かえ》ってきてくれると安《あん》心《しん》です。

にしかわせんせいへ

お話《はなし》は「こころ」と「耳《みみ》」で
ききなさいっていわれるけど、
ぼくは「目《め》」できいています

たかなみ　はやと
福井県　7歳　小学校1年

一筆啓上

「にしかわせんせい」へ

お話は「こころ」と「耳」できなさいっていわれるけど、ぼくは「目」できいています

おにいちゃんとおとうとへ

こころがワクワク
こころがウキウキ
こころがドキドキ
そんな毎日《まいにち》を
いっしょにすごそうね

永沢　隼人
福井県　7歳　小学校2年

一筆啓上

「おにいちゃんとおとうと」へ

こころがワクワク
こころがウキウキ
こころがドキドキ
そんな毎日をいっ
しょにすごそうね

お母さんへ

私《わたし》は最近《さいきん》自分《じぶん》の心《こころ》に
仮面《かめん》をかぶせて
どうも素直《すなお》になれないようです。

嶋川　姫和
福井県　11歳　小学校6年

一筆啓上

「お母さん」へ

私《わたし》は最《さい》近《きん》自《じ》分《ぶん》の心《こころ》に仮《か》面《めん》をかぶせて、どうも素《す》直《なお》になれないようです。

佳作

母さんへ

話《はな》しかけられても
こころない返事《へんじ》はわざとだよ。
僕《ぼく》は今《いま》、カッコつけたい年頃《としごろ》なんだな。

青木 伶央
青森県 15歳 中学校3年

お父さんへ

聴《き》こえた？
毎年《まいとし》一緒《いっしょ》に母《はは》へ贈《おく》った、
薔薇園《ばらえん》の鐘《かね》の音《ね》。
今年《ことし》から私《わたし》1人《ひとり》、
2人《ふたり》へ届《とど》けるよ。

熊谷　奈未子
岩手県　43歳　会社員

娘へ

「おにぎり小《ちい》さめにね」
って言《い》われたけど、
ちょっと大《おお》きくなりました。
親心《おやごころ》と思《おも》ってネ

佐藤　真智子
岩手県　63歳

ぱぱへ
私《わたし》の昔《むかし》の写真《しゃしん》を見《み》て
「このころは可愛《かわい》いかったな。」
って言《い》うのやめてね
泣《な》くよ。

澤里　心遥
岩手県　14歳　中学校2年

旦那様へ

心臓《しんぞう》に毛《け》が生《は》えていたが
もうないとため息《いき》のあなた。
大丈夫《だいじょうぶ》
今《いま》は、私《わたし》に生《は》えているから。

玉置　真弓
宮城県　54歳　アルバイト

遠くへで働く子等へ

既読《きどく》の印《しるし》が点《つ》くとホッとします。
二人《ふたり》とも無事《ぶじ》でいてくれてありがとうね。
おやすみ。

藤巻 優子
宮城県 75歳 無職

友達へ

よく何《なに》考《かんが》えてるのって言《い》うけれど
僕《ぼく》は無《む》表情《ひょうじょう》かもしれないけど
無《む》感情《かんじょう》ではないからね

鈴木　大惺
秋田県　15歳
視覚支援学校高等部1年

自分へ

そんなにあせる心《こころ》を持《も》っているのだったら、
あなたの行《い》く先《さき》はスマホではなく机《つくえ》です。

大和田 柊
福島県 13歳 中学校1年

スーパーママへ

ただいまの一言《ひとこと》で
ぼくの心《こころ》が分かるママ。
何《なに》かあったと聞《き》かれると
ぼくの心《こころ》が軽《かる》くなる。

加藤　千沙也
福島県　10歳　小学校5年

コロナでバイトがなくなった大学生へ

こころの持《も》ちようとか言《い》うけど、
空腹《くうふく》はつらいよね。

小圷 康則
茨城県 64歳 会社員

母へ

心《こころ》になど頼《たよ》らず、
あの朝《あさ》、手《て》と手《て》を握《にぎ》りあえば良《よ》かった。
ただ、ギュッと。もういない。

羽鳥　明美
茨城県　70歳　主婦

他県の皆様へ

魅力度《みりょくど》ランキング最下位《さいかい》ですが、

「こころ」休《やす》ませたいときは、茨城県《いばらきけん》へ

森野 瞳
茨城県 42歳 家事手伝い

お母さんへ

なぜ、お母《かあ》さんは、
ぼくの心《こころ》を読《よ》めるのに、
ぼくはお母《かあ》さんの心《こころ》を読《よ》めないの。

小林 愛ノ助
栃木県 11歳 小学校5年

三日後、結婚二十五周年を迎える夫へ

恋《こい》した頃《ころ》は
キミの心《こころ》が知《し》りたいと願《ねが》ったけど、
もういいわ。
手《て》に取《と》るように分《わ》かるから。

青柳　婦美子
栃木県　50歳　会社員

ママへ

パパとママどっちも好《す》きって
いつも言《い》うけど、
本当《ほんとう》はママが6パパが4なの
ひみつだよ。

大森　望未
栃木県　10歳　小学校4年

息子たちへ

何《なに》も持《も》たずに生《う》まれてきた君《きみ》たちに
「こころ」を持《も》たせるのが
私《わたし》の仕事《しごと》です。

松葉　美貴
栃木県　40歳　主婦

父へ

「沈黙《ちんもく》は金《きん》」と教《おし》えてくれた父《ちち》よ、
妻《つま》に「黙《だま》っていてはわからない」
と叱《しか》られています。

岡田 孝道
埼玉県 80歳 会社員

ママへ

ゲームをやりすぎてキレたママが
禁止令《きんしれい》を出《だ》した時《とき》、
心《こころ》の中《なか》でラスボスきたと思《おも》ったよ。

鏡　珀斗
埼玉県　12歳　小学校6年

うまれるまえのぼくへ

しんぱいしなくてもだいじょぶ。
このかぞくでだいせいかいだよ。

高波　朔也
埼玉県　小学校

亡き友へ

治癒《ちゆ》したら連絡《れんらく》すると言《い》ってた
貴女《あなた》の名《な》が書《か》かれた喪中《もちゅう》はがき。
待《ま》ってた連絡《れんらく》と違《ちが》うよ。

森角 由美子
埼玉県 63歳 主婦

両親へ

親《おや》の心子《こころこ》知《し》らずって言《い》われるけど、
僕《ぼく》だって思《おも》う、
子《こ》の心《こころ》親《おや》知《し》らずって。

吉野 光汰
埼玉県 14歳 中学校3年

すどうせんせいへ

ずかんで、こころをしらべたら、
はーとのかたちをしていなかったよ。
なんでかな。

藤本　真司
千葉県　6歳　小学校1年

後に連なる皆様へ

「こころ」は本来《ほんらい》しなやかなものです。
「折《お》れた」り「刺《さ》さった」りは
いたしません。

吉田 美恵
千葉県 41歳 研究職

思春期の高一の娘へ

こころは見《み》えるものなの、
見《み》えるというより感《かん》じるものなの、
そして信《しん》じるものなの。

鮎川　幸子
東京都　43歳　主婦

愛犬へ

犬《いぬ》の心《こころ》が分《わ》かった
亡《な》くなる夜《よる》
「又会《またあ》おね」と言《い》ったら
涙一《なみだひと》すじ流《なが》した愛犬《あいけん》

岡西　通雄
東京都　77歳　無職

強がりな友達へ

自分《じぶん》の心《こころ》に聞《き》いてみて。

「無理《むり》してない？」

心《こころ》の負担《ふたん》に気《き》づけるのは自分《じぶん》だけだよ。

鈴木 咲穂
東京都 14歳 中学校3年

ガンちゃんへ

君《きみ》が左胸《ひだりむね》に現《あらわ》れてから、
心《こころ》の感度《かんど》が上《あ》がってる。
ありがとう。
いいとこもあったんだね。

田岡 明子
東京都 54歳 会社員

図書館へ

いじめられ続《つづ》けた時《とき》に
心《こころ》を守《まも》ってくれた場所《ばしょ》。
大好《だいす》きな本《ほん》のある巣《す》だった。

寺本　ららら
東京都　31歳　翻訳者

両親へ

親《おや》の心《こころ》子《こ》知《し》らずと言《い》うけれど
子《こ》の考《かん》えることだって親《おや》は知《し》らない。
子《こ》の考《かん》えも聞《き》いてね。

西山　葉
東京都　14歳　中学校2年

ママへ

ママがやさしいから
私《わたし》もやさしい心《こころ》になる。
やさしい心《こころ》が世《せ》界《かい》中《じゅう》にとどくといいな。

細井 咲良
東京都 9歳 小学校3年

主治医へ

こころがけじゃない、
治療《ちりょう》が必要《ひつよう》なんだって言《い》ってもらえて、
少《すこ》しほっとしました。

牧嶋 友紀
東京都 30歳 事務職

自分へ

心《こころ》が広《ひろ》いねってよく言《い》われるけど、
広《ひろ》すぎて自分《じぶん》の心《こころ》を見失《みうしな》っているよ！

増田 真奈美
東京都 52歳 主婦

あなたへ

傷心中《しょうしんちゅう》。

ハトに餌《えさ》を与《あた》えないでください。

ハートに愛《あい》を与《あた》えてください。

渡理　聖以
東京都　72歳
放課後子ども教室安全指導員

孫のだいちくんへ

運動会《うんどうかい》の徒競走《ときょうそう》、
トップの君《きみ》は転《ころ》んだ友《とも》を助《たす》け、
ビリになった君《きみ》へ、
心《こころ》の一等賞《いっとうしょう》をあげる

岡部　伸子
神奈川県　77歳　主婦

ヤクルト配達員さんへ

君《きみ》が届《とど》けてくれるのは、
商品《しょうひん》だけではありません。
笑顔《えがお》と元気《げんき》、僕《ぼく》が一番《いちばん》欲《ほ》しいもの。

笠原　隆司
神奈川県　71歳　無職

おかあさんへ

ねるまえにおでこをさすってくれるの、
おでこよりこころがほんわりするんだよ。

加藤　奈緒
神奈川県　7歳　小学校1年

亡き母へ

千々《ちぢ》に乱《みだ》れて流《なが》されていく。
雲《くも》にもこころがあったんですね、
母《かあ》さん。

窪田　昇
神奈川県　67歳　無職

夏井いつき様へ

「こころ」って秋《あき》の季語《きご》になりませんか。
静《しず》かな夜更《よふ》けに遠《とお》くの友《とも》を思《おも》いやる秋《あき》です。

廣畑　光穂
神奈川県　66歳　アルバイト

父さん母さんへ

まるきりくじ運《うん》が無《な》い俺《おれ》だけど
父《とう》さんと母《かあ》さんの息子《むすこ》に生《う》まれた事《こと》、
大当《おおあた》りだ。

井上　勝成
長野県　21歳　大学4年

友へ

「ほんの心《こころ》だけ」
リンゴを三個《さんこ》お見舞《みま》いやて、
うれしかったあ！
黙《だま》って入院《にゅういん》してたのに。

安達 和子
石川県 80歳 主婦

おとうさんへ

こころをもやせって言《い》うけど
どうやってもやすか分《わ》からないんだ。

伊藤　陽人
福井県　8歳　小学校2年

離れている家族へ

心《こころ》が繋《つな》がっているから
大丈夫《だいじょうぶ》って言《い》うけど、
そばに居《い》てくれないと
私《わたし》は大丈夫《だいじょうぶ》じゃない。

梅木　晃
福井県　60歳　会社員

ぼくのこころへ

イライラするのも、
イライラしてしまった、
と反省《はんせい》するのもぼく。
なんだかちぐはぐだ。

岡本　凜太朗
福井県　12歳　中学校　1年

息子へ

本当《ほんとう》だ、
ゴーヤはきょうりゅうだ。
二歳《にさい》の心《こころ》の目《め》で見《み》れば。
毎日《まいにち》が大発見《だいはっけん》です。

川瀬　綾
福井県

お母さんへ

うるさくすると低《ひく》い声《こえ》、
外《そと》から帰《かえ》ってくると高《たか》い声《こえ》。
温度計《おんどけい》みたいだね
今《いま》の心《こころ》は何度《なんど》なの

川田　朱衣梨
福井県　11歳　小学校5年

おかあさんへ

こころはどこにあるのかな。
おかあさんのこころをなでたい。
よろこんでほしいから。

北山　結唯奈
福井県　6歳　小学校1年

かがみ君へ

ぼくの心《こころ》を写《うつ》してみてください。
どんな心《こころ》が見《み》えますか?
くもって見《み》えたら、ふきますよ

島崎　瑛都
福井県　10歳　小学校4年

主人へ

紹介《しょうかい》で知《し》りあってスピード婚《こん》。
あれやこれや二十八年《にじゅうはちねん》。
心《こころ》は?あなたに?ウフフ。

杉本　三重子
福井県　54歳　サービス業

おともだちへ

しょうがっこうにゅうがくして、
ますくでかおはかくれているけど、
こころはみえるよ。

空手　綾音
福井県　7歳　小学校1年

お母さんへ

お母《かあ》さん、
目《め》を見《み》れば、ぼくのこころ分《わか》るでしょ。
今《いま》は、勉強《べんきょう》やりたくないの。

竹川 佳樹
福井県 11歳 小学校 6年

天国のじいへ

恋心《こいごころ》はずっと忘《わす》れないんだよ。
だって、認知症《にんちしょう》のばあが、
じいの写真《しゃしん》に頬《ほお》染《そ》めてたもの。

土本　葉月
福井県　23歳　会社員

お父さんへ

心《こころ》には、
いろんなおもいがあふれ返《かえ》っています。
またおぼれていたら、助《たす》けてください。

出口　ひろと
福井県　9歳　小学校　3年

パパへ

しゅくだいちゅう
パパのおならのくささに、
心《こころ》がおれるわたしの集中力《しゅうちゅうりょく》。

広せ　ふうな
福井県　9歳　小学校3年

子育てした頃の自分へ

凄《すご》いよ。偉《えら》いね。
頑張《がんば》ったね。大好《だいす》きだよ。
心《こころ》は言葉《ことば》で伝《つた》えなきゃ。
今《いま》後悔《こうかい》してるんだ。

松嶋　由美子
福井県　63歳　無職

私へ

心《こころ》ってパレットに出《だ》した絵《え》の具《ぐ》みたい。
いろんな色《いろ》が混《ま》ざってて。

間宮　千鶴
福井県　61歳　主婦

おともだちへ

みんなといると
からだもこころもやすまらんわ。
なんでかってか?
たのしすぎるからだよ

水上　陽葉
福井県　7歳　小学校1年

お母さんへ

「ご飯《はん》ぬきにするよ」
といっているけど
こっそりご飯《はん》つくってくれていて
安心《あんしん》します。

村上 風斗
福井県 11歳 小学校6年

母さんへ

あの母《かあ》さん手《て》作《づく》りワンピース
また出《で》てきたよ。
四《よん》十《じゅう》年《ねん》もたったのに
今《こん》回《かい》も断《だん》捨《しゃ》離《り》失《しっ》敗《ぱい》だわ

山岸　千景
福井県　60歳

じいちゃんへ

「心《こころ》を亡《な》くす」が「忙《いそが》しい」なら、
いつもヒマそうなじいちゃんは
「心《こころ》が有《あ》る」人《ひと》なの？

山岸 誠
福井県 63歳 無職

お母さんへ

お母《かあ》さんが休《やす》みの日《ひ》は
「おかえり」があるから
とおくてもウキウキワクワク
かえるよ。

山森　れいか
福井県　7歳　小学校2年

先生へ

あれ？こまってる。
おっ、楽《たの》しそう。
うわっ、かみなりくるな。
先生《せんせい》の心《こころ》よんでます。

渡邉　六花
福井県　9歳　小学校4年

妻へ

昔《むかし》の結婚告白《けっこんこくはく》のドキドキ感《かん》は、
今《いま》は君《きみ》に怒《おこ》られないかの
ドキドキ感《かん》になりました。

伊藤　光男
岐阜県　パート

お母さんへ

お母《かあ》さんの「そのうちね」は
絶対《ぜったい》ないって意味《いみ》だよね。
私《わたし》は知《し》っているよ。

帖佐　美咲
岐阜県　13歳　中学校　2年

保護犬の大丸へ

初《はじ》めて会《あ》ったとき
君《きみ》を幸《しあわ》せにすると私《わたし》は言《い》った。
でも幸《しあわ》せにされているのは私《わたし》たちだね。

藤井　結乃
岐阜県　13歳　中学校　1年

夫へ

大切《たいせつ》なのはそばにいる事《こと》
欲《ほ》しいのはこころ
顔《かお》はどうでもよかって
プロポーズとしては0点《てん》

隈元 ゆか
静岡県 57歳 主婦

妻、澄子様へ

他人《たにん》には見《み》せない心《こころ》の中《なか》も、貴女《あなた》には50年《ねん》近《ちか》く見《み》られていた事に、最近《さいきん》気付《きづ》きました。

桑山 撲
愛知県 73歳 添乗員

夫へ

照《て》れくさそうな表情《ひょうじょう》に胸《むね》がちくり。
そのハートのにんじん、
離乳食《りにゅうしょく》の余《あま》りなの。

櫻井　梓
愛知県　29歳　主婦

夫へ

寝《ね》たきりのあなたが入院《にゅういん》した日《ひ》、
うな重《じゅう》食《た》べてぐっすり眠《ねむ》った私《わたし》。
こころが痛《いた》いごめんね

笠江　茂子
三重県　76歳　理容業

友達へ

説教中《せっきょうちゅう》、
君《きみ》と顔《かお》を見合《みあ》わせて以心伝心《いしんでんしん》。
「話《はなし》を合《あ》わせて」って
伝《つた》わってよかったよ。

福嶋　巽
三重県　17歳　高校2年

我が子へ

心配症《しんぱいしょう》って悪《わる》くないのよ。
心《こころ》を配《くば》るって素敵《すてき》なことだね。
あなたはそれが出来《でき》る人《ひと》。

大西　のり子
滋賀県　52歳　主婦

思春期の息子へ

君《きみ》がこれから一番《いちばん》に従《したが》うべきは、
自分《じぶん》のこころの声《こえ》です。
そして二番目《にばんめ》は、母《はは》の言葉《ことば》よ。

櫛田 千津子
滋賀県 52歳 主婦

自分へ

私《わたし》がダラダラと過《す》ごした今日《きょう》は
昨日《きのう》あの人《ひと》があれほど生《い》きたいと
願《ねが》った明日《あした》なんだ

田中 陽介
滋賀県 14歳 中学校3年

あなたへ

こころは置《お》いて逝《い》ってもいいか
あなたのそばのどこかにそっと

宮角　嘉和
滋賀県　64歳　無職

おかあさんへ

なんでいつも、
ぼくのこころの中《なか》読《よ》めるの？
ゆう気《き》とじしんをもたせてくれて
ありがとう

みやけ　こたろう
滋賀県　7歳　小学校2年

思い出の歌へ

悲《かな》しいときもさびしいときも
耳《みみ》から音《おと》が伝《つた》わって
心《こころ》が動《うご》き始《はじ》めるんだ。

寿野　小春
京都府　11歳　小中学校6年

世界の人々へ

こころがあると
泣《な》いたり笑《わら》ったりできる。
普通《ふつう》のことだと思《おも》っていたが
神秘的《しんぴてき》なことだ。

廣田 晴人
京都府 14歳 小中学校9年

死んだ父へ

遺言《ゆいごん》がなかったんは、
死《し》んでいく者《もの》が指図《さしず》するんは
おかしいということやったんやろ。

前田 哲
京都府 62歳 高校教師

おかあさんへ

ひっこしてきてぼくは、
友《とも》だちができるか
ふあんだったけど
お母《かあ》さんはどうだったの？

槇納　陽
京都府　8歳　小中学校2年

母へ

心《こころ》の偏差値《へんさち》高《たか》ければ
人生何《じんせいなん》とか乗《の》り越《こ》えられると言《い》うなら
テスト悪《わる》くても怒《おこ》らんといて。

吉田 奈央
京都府 12歳 中学校1年

夫へ

私達《わたしたち》のこころを全部《ぜんぶ》読《よ》んでるペロが
人《ひと》の言葉《ことば》を話《はな》せなくて良《よ》かったね。

稲本　康代
大阪府　61歳　主婦

夫へ

「こころがかよう」瞬間《しゅんかん》を夢見《ゆめみ》て、
33年《ねん》たってしまいました。
まだ諦《あきら》めちゃいませんよ

原　典子
大阪府　63歳　主婦

夫へ

ムダ毛《げ》を許《ゆる》せぬ女心《おんなごころ》と
毛《け》をムダにできぬ男心《おとこごころ》。
わかりあえぬ心《こころ》ごと
これからもよろしく。

岩田 妙子
兵庫県 41歳 主婦

弟へ

ママに「髪型《かみがた》兄《にい》たんに似《に》てテンパやな」
と言《い》われて嫌《いや》がるな。
坂本龍馬《さかもとりょうま》と兄《あに》に失礼《しつれい》やぞ。

立田 漣
兵庫県 12歳 中学校1年

嫁へ

夜中《よなか》に顔《かお》パックで寝《ね》てる姿《すがた》を見《み》て
体《からだ》が震《ふる》えたわ。
初《はじ》めて出会《であ》った時《とき》は心《こころ》が震《ふる》えたのに。

中村 優一
兵庫県 31歳 会社員

神様へ

散歩《さんぽ》に行《い》こうと
引《ひ》かれた祖父《そふ》の手《て》を今《いま》は私《わたし》が引《ひ》いている。
明日《あした》も一緒《いっしょ》に居《い》れますように。

沼間　知佳
兵庫県　38歳　会社員

母になった娘へ

伝《つた》えたいことがあります。
だけど、もうちゃんと伝《つた》わっているんだな…
とも思《おも》っています

宮武　浩子
兵庫県　63歳

8歳の息子へ

『ママ好《す》き』は開《ひら》いてて、
『うるさいなぁ』は閉《し》まってて、
貴方《あなた》の心《こころ》の扉《とびら》は忙《いそが》しいねぇ。

山際 環
兵庫県 41歳 会社員

点取り虫だった夫へ

高校教師《こうこうきょうし》だった夫《おっと》。

養護学校《ようごがっこう》へ転勤《てんきん》。一年後《いちねんご》。

「教育《きょういく》の原点《げんてん》だ」

心変《こころが》わりに心《こころ》が震《ふる》えた。

沖仲 瑩子
奈良県 78歳 主婦

兄へ

「猫《ねこ》に会《あ》いたい」って
毎回《まいかい》送《おく》ってくるけど、
一番《いちばん》会《あ》いたいのは私達《わたしたち》だからね。

村山　七海
鳥取県　18歳　高校3年

かあさんへ

ふしぎだね。
かあさんのてをギュッてするだけで、
こころがほかほかしてくるよ。

武岡　羽菜
島根県　7歳　小学校1年

直美へ

泣《な》くと胸《むね》がキュウ
こころはここだね
あなたはここに
いるんだね

石川　深雪
岡山県　61歳　無職

38回目の結婚記念日を迎える夫へ

心忙《こころいそが》しい38年《ねん》だったね。
私《わたし》は、何《なん》とか変心《へんしん》はせず、ここにいます。
変身《へんしん》はしたけどね。

富塚 みゆき
岡山県 59歳 主婦

甥っ子改め姪っ子へ

心《こころ》は女《おんな》なの、と告白《こくはく》、
何《なに》よりつよく生《い》きてくれてありがとう。
就職《しゅうしょく》、心《こころ》からおめでとう。

中村 普子
岡山県 49歳 主婦

可愛い我が子へ

パパとママの心《こころ》の中《なか》にいる君《きみ》。
またお腹《なか》においでね。
今度《こんど》は抱《だ》きしめさせてね。

藤原　奈央
岡山県　33歳　保育士

先生方へ

服装《ふくそう》の乱《みだ》れは、
心《こころ》の乱《みだ》れと言《い》うけど
先生《せんせい》もたまに乱《みだ》れてますよ。
何《なに》かあったんですか？

景山　拓
広島県　15歳　中学校3年

転勤で遠くに行った息子へ

見送《みおく》りの日《ひ》にくれた
マヌカハニーののど飴《あめ》の空袋《からぶくろ》、
いつもカバンに持《も》ち歩《ある》いているよ。

竹内　清美
広島県　67歳　主婦

とっちん（母）へ

喧嘩《けんか》してあやまりなさいと言《い》うけれど
心《こころ》の中《なか》でしかあやまれない
思春期《ししゅんき》娘《むすめ》を許《ゆる》してちょん

松木　叶愛
広島県　15歳　中学校3年

娘・心杏（ここあ）へ

「私《わたし》は強《つよ》いから」
と言《い》ったあなたが流《なが》した涙《なみだ》、
心《こころ》の叫《さけ》びだよね。
母《かあ》さんは一番《いちばん》の味方《みかた》だよ

山内　梨恵
広島県　42歳　会社員

亡き夫へ

車椅子《くるまいす》を一生懸命《いっしょうけんめい》押《お》していた私《わたし》、
今《いま》、あの頃《ころ》の貴方《あなた》の「こころ」を
思《おも》ってばかりです。

松田　喜代子
香川県　80歳　無職

あの日のお花さん達へ

スキ、キライ…。
花《はな》びらをちぎってごめんなさい。
ドンと心《こころ》を押《お》してもらいたかったの。

大野　眞弓
愛媛県　59歳　主婦

おばあちゃんへ

ペースメーカーを入《い》れて、
私《わたし》、もう死《し》ねんなったとおばあちゃん。
心《こころ》も不死身《ふじみ》になった？

瀬野　美千代
愛媛県　60歳　公務員

父さんへ

歳《とし》を重《かさ》ね、
同《おな》じ質問《しつもん》を重《かさ》ねることも増《ふ》えたね。
何度《なんど》でも答《こた》えるから、
何度《なんど》でも聞《き》いてね。

久保田 美紀
高知県 54歳 公務員

寡黙な息子へ

眼科《がんか》に入院《にゅういん》する日《ひ》
借《か》してあげるとラジオ、
よく見《み》るとピカピカの新品《しんぴん》だった。
ありがとう

西尾　美早香
高知県

お母さんへ

お母《かあ》さんの口癖《くちぐせ》「バカじゃん」を聞《き》くと
元気《げんき》が出《で》ます。
どんな慰《なぐさ》めより心《こころ》に効《き》く薬《くすり》です。

生野 薫
福岡県 38歳 アルバイト

カレーへ

あなたはこころがありますか。
白《しろ》い服《ふく》のときによく飛《と》びはねますね。

石丸　将太郎
福岡県　16歳　高校2年

妹へ

ぼくのまくらでねるのは、やめて下《くだ》さい。
でもとってもね顔《がお》は、かわいいよ。

稲富 悠希
福岡県 8歳 小学校3年

大好きなパパへ

「いいものを見《み》て大《おお》きくなれ」

とパパは言《い》った。

それは、パパだよ。

僕《ぼく》の目標《もくひょう》は、パパ！

今城　和己
福岡県　9歳　小学校4年

お母さんへ

仕事《しごと》でつかれている時《とき》は、
ぼくが心《こころ》をこめてお米《こめ》をたくよ。
だから無洗米《むせんまい》を買《か》ってね。

川崎　創生
福岡県　9歳　小学校4年

きゅう食のおばちゃんへ

ぼくのお母《かあ》さんは
世界《せかい》で二番目《にばんめ》にりょう理《り》が上手《じょうず》。
一番《いちばん》は、きゅう食《しょく》のおばちゃん。

中富 悠喜
福岡県 9歳 小学校3年

祖母へ

葬式《そうしき》では泣《な》いてあげれなくてごめんね
けど、心《こころ》の涙《なみだ》はずっと流《なが》れてたよ。

中原 颯希
福岡県 16歳 高校2年

友人へ

少《すこ》しお釣《つ》りが出《で》た時《とき》、
何気《なにげ》ない顔《かお》して募金箱《ぼきんばこ》に入《い》れてるね。
そういうところ尊敬《そんけい》する。

藤岡　亜美
福岡県　18歳　高校3年

夫へ

あなたは長期《ちょうき》の入院《にゅういん》、
玄関《げんかん》の靴《くつ》に
そっと足《あし》を合《あ》わせてみました。

三宅　加代子
福岡県　75歳　主婦

じぶんへ

べんきょうをしたとき、
あたまがなまぬるく、
こころがあせをかいているようだ。

吉田　智咲子
福岡県　7歳　小学校1年

兄へ

そんなに電話《でんわ》をかけてこなくても、
私《わたし》は意外《いがい》と元気《げんき》なので、
心配《しんぱい》しないで下《くだ》さい。

米岡 翼
福岡県 17歳 高校3年

こころちゃんへ

ぼくには、
こころというおばさんがいます。
名前《なまえ》みたいに、かっこいい人《ひと》です。

川口　大和
佐賀県　12歳　小学校6年

街角の君達へ

両手《りょうて》に下《さ》げたゴミ袋《ぶくろ》3個《こ》。
部活帰《ぶかつがえ》り?男《おとこ》の子《こ》2人《ふたり》
「運《はこ》びましょうか」
心《こころ》がほっこりした夜《よる》

福島　幸子
佐賀県　69歳　主婦

お母さんへ

時々《ときどき》頭《あたま》をポンポンとしてもらった
手《て》の温《ぬく》もりを感《かん》じます。
いつも近《ちか》くにいるんですね。

木原　尚代
長崎県　57歳　パート事務

パパへ

パパの「そうか」は、
私《わたし》の決断《けつだん》へのゴーサイン。
響《ひび》きで応援《おうえん》してくれていると
分《わ》かっとよ

中井　夕紀
熊本県　38歳　パート

母へ

漬《つ》け方《かた》を習《なら》いそこねて終《つい》の梅《うめ》
明日《あした》も、居《い》ると思《おも》ってた。
瓶《びん》も心《こころ》も空《から》っぽです。

中山　輝世
熊本県　51歳　看護師

ご先祖様へ

スマホに負《ま》けたよ
心《こころ》はうわの空《そら》
下《した》向《む》く子《こ》らに昔《むかし》の家族《かぞく》団欒《だんらん》
今《いま》、いづこです

今永　恵子
大分県　74歳

単身赴任中の夫へ

あなた、長《なが》い事《こと》帰《かえ》れませんねぇ。
私《わたし》も行《い》けないの。
まさか赴任先《ふにんさき》が天国《てんごく》だなんてねぇ。

川平　陽子
宮崎県　61歳　主婦

可愛いチャンちゃんへ

傷付《きずつ》いたら、
心《こころ》を閉《と》ざすのは自分《じぶん》に対《たい》して
アンフェアな物《もの》だ。
自《みずか》ら愛《あい》される機会《きかい》を探《さが》そう

NGUYEN THI
BICH KHUE
宮崎県　29歳　パン製造

大朝雄二先生へ

年賀葉書《ねんがはがき》のたった一文《いちぶん》が
教《おし》え子《ご》を40年《ねん》も頑張《がんば》らせたなんて…
先生《せんせい》はご存《ぞん》じないですよね？

種子田 式部
宮崎県 64歳

かあかあへ

こころのやさしい人《ひと》が
いちばんつよい人《ひと》なんだよね。
ぼく、もっとつよくなりたいなあ。

伊志嶺　綾介
沖縄県　6歳　小学校1年

自分へ

心《こころ》の赴《おもむ》くままにやってみる。
間違《まちが》いがなんだ。
失敗《しっぱい》がなんだ。
僕《ぼく》はまだ一四歳《じゅうよんさい》。

久田　友大
沖縄県　14歳　中学校3年

まだ幼い君へ

今《いま》、ママには国《くに》の未来《みらい》が見《み》えない。
こころの中《なか》の確《たし》かな覚悟《かくご》は、
君《きみ》を守《まも》ること、それだけ

吉田 愛
沖縄県 37歳 主婦

総評

選考委員　小室　等

こころというテーマは難しかったと思う。改めて、僕も考えてみた。こころって何なんだろう、特にこころが動くって。僕の個人的な思い出の中の心の動きを振り返ってみた。僕が小学生の頃、荒川の土手に遊びに行って夕方近くになって友達とも別れて、一人トボトボと土手を降りて歩いて畔を通っている時、目の前の地面でバタバタしているものが見えて、なんだろうと思って近づいたら、子供らのいたずらで、頭が捥がれたトンボだった。その時に僕はどうしよう、このトンボの苦しみを取り去ってやらないといけないととっさに思い、逡巡しながらも早く楽にしてやろうと靴で踏みつぶした。その時の感触は足裏に今でも残っている。あの時に自分のこころが動いたんだって、今思い返すことが出来る。そんな風に思って、皆さんの作品を見てみると、なんといっぱいこころが動いていることか。あんなこころの動き、こんなこころの動きっていうのがあって、すごいなと思った。

「言葉は通じなくても、心は通じることを、大人たちに見せてくれてありがとう。」と、〈ダウン症のある三男のクラスメイト〉たちへ宛てた、秀作の廣岡睦美さんの作品もそうだったけど、佳作の〈甥っ子改め姪っ子〉へ宛てた中村普子さんの作品。「心は女なの、と告白、何よりつよく生きてくれてありがとう。就職、心からおめでとう。」、この叔母さんがどんな気持ちで姪と接してきてここに至ったのか、私達には計り知れませんが、姪っ子の苦しかった半生に対して愛情深く寄り添ってくれていた叔母さんがいてくれて本当に良かった。このように、自分の内部での男女の不一致に、同じように苦しんでいる人達がたくさんいる。そのことを言えないまま一生を過ごしてしまう人もきっとたくさんいるでしょう。そういう人たちがいるんだよという社会的メッセージを一筆啓上賞が発進してくれた。これも一筆啓上賞の役割の大きなひとつだと思う。

今回こころがテーマだったが、物の考え方は一つではない。あの考え方もこの考え方も、百も二百も万もある。でも応募された作品をこうやって眺めてみると、たくさんのこころがあるにも関わらず、こころってやっぱり一つなんじゃないかなあという風にも思える。

（入賞者発表会講評より要約）

あとがき

動くや晴れる、折れる、沈むなど、「こころ」がつく言葉はとても多く、熟語を加えると千を超えるかもしれません。それほど「こころ」は、揺れ動き変化するもので、「こころ」を一言で表すことは、とても難しいことです。

その様な「こころ」に、四万六九一二通のお手紙をいただきました。ご応募いただきました皆様に、心から感謝を申し上げます。

第一回からこれまでに寄せられた手紙の総数は、一五〇万通を超えました。あまりの数の多さに、「こころ」が熱くなります。

「こころ」は目には見えません。言葉や形にして、伝わるものです。手紙は、「こころ」を言葉にして運び、その言葉から「こころ」を受け取るものだと思います。また、手紙そのものが「こころ」かもしれません。手書きだったらなおさらです。

たくさんの「こころ」の一次選考に携わっていただいたのは、住友グループ広報委員会の皆様です。静寂な雰囲気の中で、心が折れそうになりながらも、集中力を絶やさずの選考、お疲れさまでした。

最終選考会は、前回同様リモート開催となりましたが、小室等さんのまとめ役のもと、佐々木幹郎さん、宮下奈都さん、夏井いつきさん、平野竜一郎さんは、手紙の細部に宿る「こころ」に胸を打たれながらの選考でした。粒ぞろいの作品ばかりで、時間を忘れ、お互いの距離があることを感じさせない、「こころ」が通じ合っているかのような選考会でした。

終わりに、坂井市丸岡町出身の山本時男氏が代表取締役を務める、株式会社中央経済社・中央経済グループパブリッシングの皆様には、本書の出版、並びに付帯する出版業務のすべてをお引き受けくださいましたことを心から感謝申し上げます。また、日本郵便株式会社ならびに坂井青年会議所の皆様の一筆啓上賞へのご協力、ご支援にも心からお礼を申し上げます。

令和四年五月

公益財団法人　丸岡文化財団

理事長　田中　典夫

日本一短い手紙「こころ」　第29回一筆啓上賞
二〇二二年五月二〇日　初版第一刷発行
編集者――――公益財団法人丸岡文化財団
発行者――――山本時男
発行所――――株式会社中央経済社
発売元――――株式会社中央経済グループパブリッシング
〒一〇一－〇〇五一
東京都千代田区神田神保町一－三一－二
電話〇三－三二九三－三三七一（編集代表）
〇三－三二九三－三三八一（営業代表）
https://www.chuokeizai.co.jp
印刷・製本――株式会社　大藤社
編集協力――――辻新明美
＊頁の「欠落」や「順序違い」などがありましたらお取り替えいたしますので発売元までご送付ください。（送料小社負担）

ISBN978-4-502-43081-7　C0095

四六判・236頁
本体1,000円＋税

四六判・222頁
本体1,000円＋税

四六判・236頁
本体1,000円＋税

四六判・216頁
本体1,000円＋税

四六判・236頁
本体1,000円＋税

四六判・162頁
本体900円＋税

四六判・160頁
本体900円＋税

四六判・162頁
本体900円＋税

四六判・178頁
本体900円＋税

四六判・184頁
本体900円＋税

四六判・258頁
本体900円＋税

四六判・210頁
本体900円＋税

四六判・216頁
本体1,000円＋税

四六判・206頁
本体1,000円＋税

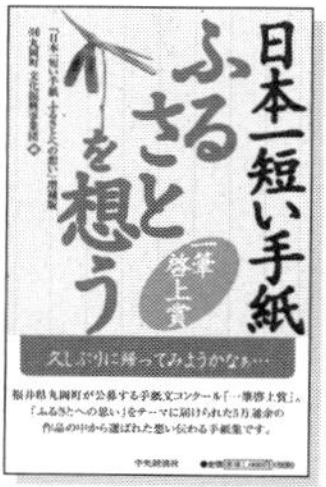

四六判・218頁
本体1,000円＋税

四六判・196頁
本体1,000円＋税